Journaux intimes

Charles Baudelaire

Edition : Culturea (culurea.fr), 34 Hérault
Contact : infos@culturea.fr
Impression : BOD, Norderstedt (Allemagne)
ISBN : 9791041834594
Date de publication : juillet 2023
Mise en page et maquettage : https://reedsy.com/
Cet ouvrage a été composé avec la police Bauer Bodoni

Journaux intimes

I

Quand même Dieu nexisterait pas, la Religion serait encore Sainte et Divine.

Dieu est le seul être qui, pour régner, nait même pas besoin dexister.

Ce qui est créé par lesprit est plus vivant que la matière.

Lamour, cest le goût de la prostitution. Il nest même pas de plaisir noble qui ne puisse être ramené à la Prostitution.

Dans un spectacle, dans un bal, chacun jouit de tous.

Questce que lart? Prostitution.

Le plaisir dêtre dans les foules est une expression mystérieuse de la jouissance de la multiplication du nombre.

Tout est nombre. Le nombre est dans tout. Le nombre est dans lindividu. Livresse est un nombre.

Le goût de la concentration productive doit remplacer, chez un homme mûr, le goût de la déperdition.

Lamour peut dériver dun sentiment généreux: le goût de la prostitution; mais il est bientôt corrompu par le goût de la propriété. Lamour veut sortir de soi, se confondre avec sa victime, comme le vainqueur avec le vaincu, et cependant conserver des privilèges de conquérant.

Les voluptés de lentrepreneur tiennent à la fois de lange et du propriétaire. Charité et férocité. Elles sont même indépendantes du sexe, de la beauté et du genre animal.

Les ténèbres vertes dans les soirs humides de la belle saison.

Profondeur immense de la pensée dans les locutions vulgaires, trous creusés par des générations de fourmis.

Anecdote du chasseur, relative à la liaison intime de la férocité et de lamour.

II

De la féminéité de lEglise, comme raison de son omnipuissance. De la couleur violette (amour contenu, mystérieux, voilé, couleur de chanoinesse).

Le prêtre est immense parce quil fait croire à une foule de
choses étonnantes.
Que lÉglise veuille tout faire et tout être, cest une loi de
lesprit humain.
Les peuples adorent lautorité.
Les prêtres sont les serviteurs et les sectaires de limagination.
Le trône et lautel, maxime révolutionnaire.
E. G. ou la SÉDUISANTE AVENTURIÈRE

Ivresse religieuse des grandes villes. Panthéisme. Moi, cest tous; Tous, cest moi. Tourbillon.

III

Je crois que jai déjà écrit dans mes notes que lamour ressemblait fort à une torture ou à une opération chirurgicale. Mais cette idée peut être développée de la manière la plus amère. Quand même les deux amants seraient très épris et très pleins de désirs réciproques, lun des deux sera toujours plus calme ou moins possédé que lautre. Celuilà, ou cellelà, cest lopérateur, ou le bourreau; lautre, cest le sujet, la victime. Entendezvous ces soupirs, préludes dune tragédie de déshonneur, ces gémissements, ces cris, ces râles? Qui ne les a proférés, qui ne les a irrésistiblement extorqués? Et que trouvezvous de pire dans la question appliquée par de soigneux tortionnaires? Ces yeux de somnambule révulsés, ces membres dont les muscles jaillissent et se roidissent comme sous laction dune pile galvanique, livresse, le délire, lopium, dans leurs plus furieux résultats, ne vous en donneront certes pas daussi affreux, daussi curieux exemples. Et le visage humain, quOvide croyait façonné pour refléter les astres, le voilà qui ne parle plus quune expression dune férocité folle, ou qui se détend dans une espèce de mort. Car, certes, je croirais faire un sacrilège en appliquant le mot: extase à cette sorte de décomposition.

Épouvantable jeu où il faut que lun des joueurs perde le gouvernement de soimême! Une fois il fut demandé devant moi en quoi consistait le plus grand plaisir de lamour. Quelquun répondit naturellement: à recevoir, et un autre: à se donner. Celuici dit: plaisir dorgueil! et celuilà: volupté dhumilité! Tous ces orduriers parlaient comme l_Imitation de JésusChrist_. Enfin il se trouva un impudent utopiste qui affirma que le plus grand plaisir de lamour était de former des citoyens pour la patrie.

Moi je dis: la volupté unique et suprême de lamour gît dans la certitude de faire le mal. Et lhomme et la femme savent de naissance que dans le mal se trouve toute volupté.

IV

PLANS. PROJETS
La Comédie à la Silvestre.
Barbara et le Mouton.
Chenavard a créé un type surhumain.
Mon voeu à Levaillant.
Préface, mélange de mysticité et dengouement.
Rêve et théorie du Rêve à la Swedenborg.
La pensée de Campbell (the Conduct of Life).
Concentration.
Puissance de lidée fixe.
La franchise absolue, moyen doriginalité.
Raconter pompeusement des choses comiques.
FUSÉES. SUGGESTIONS Quand un homme se met au lit, presque tous ses amis ont le désir secret de le voir mourir; les uns pour constater quil avait une santé inférieure à la leur; les autres dans lespoir désintéressé détudier une agonie.

Le dessin arabesque est le plus spiritualiste des dessins.

V

SUGGESTIONS Lhomme de lettres remue des capitaux et donne le goût de la gymnastique intellectuelle.

Le dessin arabesque est le plus idéal de tous.

Nous aimons les femmes à proportion quelles nous sont plus étrangères. Aimer les femmes intelligentes est un plaisir de pédéraste. Ainsi la bestialité exclut la pédérastie.

Lesprit de bouffonnerie peut ne pas exclure la charité, mais cest rare.

Lenthousiasme qui sapplique à autre chose que les abstractions est un signe de faiblesse et de maladie.

La maigreur est plus nue, plus indécente que la graisse.

VI

Ciel tragique. Épithète don ordre abstrait appliqué à un être matériel.

Lhomme boit la lumière avec latmosphère. Ainsi le peuple a raison de dire que lair de la nuit est malsain pour le travail.

Le peuple est adorateurné du feu.
Feux dartifice, incendies, incendiaires.
Si lon suppose un adorateurné du feu, un Parsisné, on peut
créer une nouvelle.
Les méprises relatives aux visages sont le résultat de léclipse de limage réelle par lhallucination qui en tire sa naissance.

Connais donc les jouissances dune vie âpre; et prie, prie sans cesse. La prière est réservoir de force. (Autel de la volonté. Dynamique morale. La sorcellerie des sacrements. Hygiène de lâme).

La Musique creuse le ciel.

JeanJacques disait quil nentrait dans un café quavec une certaine émotion. Pour une nature timide, un contrôle de théâtre ressemble quelque peu au tribunal des Enfers.

La vie na quun charme vrai; cest le charme du Jeu. Mais sil nous est indifférent de gagner ou de perdre?

VII

SUGGESTIONS Les nations nont de grands hommes que malgré elles, comme les familles. Elles font tous leurs efforts pour nen avoir pas. Et ainsi, le grand homme a besoin, pour exister, de posséder une force dattaque plus grande que la force de résistance développée par des millions dindividus.

A propos du sommeil, aventure sinistre de tous les soirs, on peut dire que les hommes sendorment journellement avec une audace qui serait inintelligible, si nous ne savions pas quelle est le résultat de lignorance du danger.

Il y a des peaux carapaces avec lesquelles le mépris nest plus une vengeance.

Beaucoup damis, beaucoup de gants. Ceux qui mont aimé étaient des gens méprisés, je dirais même méprisables, si je tenais à flatter les honnêtes gens.

Girardin parler latin! Pecudesque locutae.

Il appartenait à une Société incrédule denvoyer Robert Houdin chez les Arabes pour les détourner des miracles.

VIII

Ces beaux et grands navires, imperceptiblement balancés (dandinés) sur les eaux tranquilles, ces robustes navires, à lair désoeuvré et nostalgique, ne nous disentils pas dans une langue muette: Quand partonsnous pour le bonheur?

Ne pas oublier dans le drame le côté merveilleux, la sorcellerie et le romanesque.

Les milieux, les atmosphères, dont tout un récit doit être trempé. (Voir _Usher _et en référer aux sensations profondes du hachisch et de lopium).

Y atil des folies mathématiques et des fous qui pensent que deux et deux fassent trois? En dautres termes, lhallucination peutelle, si ces mots ne hurlent pas, envahir les choses de pur raisonnement? Si, quand un homme prend lhabitude de la paresse, de la rêverie, de la fainéantise, au point de renvoyer sans cesse au lendemain la chose importante, un autre homme le réveillait un matin à grands coups de fouet et le fouettait sans pitié jusquà ce que, ne pouvant travailler par plaisir, celuici travaillât par peur, cet homme, le fouetteur, ne seraitil pas vraiment son ami, son bienfaiteur? Dailleurs on peut affirmer que le plaisir viendrait après, à bien plus juste titre quon ne dit: lamour vient après le mariage. De même en politique, le vrai saint est celui qui fouette et tue le peuple pour le bien du peuple.

Mardi 13 mai 1856.

Prendre des exemplaires à Michel. Écrire à Mann, à [Willis] à Maria Clemm.

Envoyer chez Mad. Dumay savoir si Mirès.....

Ce qui nest pas légèrement difforme a lair insensible: doù il suit que lirrégularité, cestàdire linattendu, la surprise, létonnement sont une partie essentielle et la caractéristique de la beauté.

IX

NOTES
Théodore de Banville nest pas précisément matérialiste; il est
lumineux.
Sa poésie représente les heures heureuses.
A chaque lettre de créancier, écrivez cinquante lignes sur un sujet extraterrestre et vous serez sauvé.

Grand sourire dans un beau visage de géant.

Du suicide et de la foliesuicide considérés dans leurs rapports avec la statistique, la médecine et la philosophie.

BRIÈRE DE BOISMONT
Chercher le passage: Vivre avec un être qui na pour vous que de
laversion...
Le portrait de Sérène par Sénèque, celui de Stagyre par
saint Jean Chrysostome.
L_acedia_, maladie des moines.
Le Taedium vitae.
Traduction et paraphrase de: La Passion rapporte tout à elle. Jouissances spirituelles et physiques causées par lorage, lélectricité et la foudre, tocsin des souvenirs amoureux, ténébreux, des anciennes années.

X

Jai trouvé la définition du Beau, de mon Beau. Cest quelque chose dardent et de triste, quelque chose dun peu vague, laissant carrière à la conjecture. Je vais, si lon veut, appliquer mes idées à un objet sensible, à lobjet, par exemple, le plus intéressant dans la société, à un visage de femme. Une tête séduisante et belle, une tête de femme, veuxje dire, cest une tête qui fait rêver à la fois, mais dune manière confuse, de volupté et de tristesse; qui comporte une idée de mélancolie, de lassitude, même de satiété, soit une idée contraire, cestàdire une ardeur, un désir de vivre, associé avec une amertume refluante, comme venant de privation ou de désespérance. Le mystère, le regret, sont aussi des caractères du Beau. Une belle tête dhomme na pas besoin de comporter, excepté peut être aux yeux dune femme, cette idée de volupté, qui dans un visage de femme est une provocation dautant plus attirante que le visage est généralement plus mélancolique. Mais cette tête contiendra aussi quelque chose dardent et de triste, des besoins spirituels, des ambitions ténébreusement refoulées, lidée dune puissance grondante, et sans emploi, quelquefois lidée dune insensibilité vengeresse, (car le type idéal du Dandy nest pas à négliger dans ce sujet), quelquefois aussi, et c est lun des caractères de beauté les plus intéressants, le mystère, et enfin (pour que jaie le courage davouer à quel point je me sens moderne en esthétique), le Malheur. Je ne prétends pas que la Joie ne puisse pas sassocier avec la Beauté, mais je dis que la Joie [en] est un des ornements les plus vulgaires; tandis que la Mélancolie en est pour ainsi dire lillustre compagne, à ce point que je ne conçois guère (mon cerveau serait il un miroir ensorcelé?) un type de Beauté où il ny ait pas du Malheur. Appuyé sur, dautres diraient: obsédé par ces idées, on conçoit quil me serait difficile de ne pas conclure que le plus parfait type de Beauté virile est Satan, à la manière de Milton.

XI

AUTOIDOLÂTRIE.
Harmonie politique du caractère.
Eurythmie du caractère et des facultés.
Augmenter toutes les facultés.
Conserver toutes les facultés.
Un culte (magisme, sorcellerie évocatoire).
Le sacrifice et le voeu sont les formules suprêmes et les symboles
de léchange.
Deux qualités littéraires fondamentales: surnaturalisme et ironie. Coup doeil individuel, aspect dans lequel se tiennent les choses devant lécrivain, puis tournure desprit satanique. Le surnaturel comprend la couleur générale et laccent, cestàdire intensité, sonorité, limpidité, vibrativité, profondeur et retentissement dans lespace et dans le temps. Il y a des moments de lexistence où le temps et létendue sont plus profonds, et le sentiment de lexistence immensément augmenté. De la magie appliquée à lévocation des grands morts, au rétablissement et au perfectionnement de la santé. Linspiration vient toujours quand lhomme le veut, mais elle ne sen va pas toujours quand il le veut. De la langue et de lécriture, prises comme opérations magiques, sorcellerie évocatoire.

De lair dans la femme.

Les airs charmants et qui font la beauté sont:

Lair blasé,
Lair ennuyé
Lair évaporé,
Lair impudent,
Lair de regarder en dedans,
Lair de domination,
Lair de volonté,
Lair méchant,
Lair chat, enfantillage, nonchalance et malice mêlés.
Dans certains états de lâme presque surnaturels, la profondeur de la vie se révèle toute entière dans le spectacle, si ordinaire quil soit, quon a sous les yeux. Il en devient le symbole.

Comme je traversais le boulevard, et comme je mettais un peu de précipitation à éviter les voitures, mon auréole sest détachée et est tombée dans la boue du macadam. Jeus heureusement le temps de la ramasser; mais cette idée malheureuse se glissa un instant après dans mon esprit, que cétait un mauvais présage; et dès lors lidée na plus voulu me lâcher; elle ne ma laissé aucun repos de toute la journée.

Du culte de soimême dans lamour, au point de vue de la santé, de lhygiène, de la toilette, de la noblesse spirituelle et de léloquence.

Selfpurification and antihumanity.

Il y a dans lacte de lamour une grande ressemblance avec la torture, ou avec une opération chirurgicale.

Il y a dans la prière une opération magique. La prière est une des grandes forces de la dynamique intellectuelle. Il y a là comme une récurrence électrique. Le chapelet est un médium, un véhicule; cest la prière mise à la portée de tous.

Le travail, force progressive et accumulative, portant intérêts comme le capital, dans les facultés comme dans les résultats. Le jeu, même dirigé par la science, force intermittente, sera vaincu, si fructueux quil soit, par le travail, si petit quil soit, mais continu.

Si un poète demandait à lÉtat le droit davoir quelques bourgeois dans son écurie, on serait fort étonné, tandis que si un bourgeois demandait du poète rôti, on le trouverait tout naturel.

Ce livre ne pourra pas scandaliser mes femmes, mes filles, ni mes soeurs.

Tantôt il lui demandait la permission de lui baiser la jambe, et il profitait de la circonstance pour baiser cette belle jambe dans telle position quelle dessinât son contour sur le soleil couchant.

Minette, minoutte, minouille, mon chat, mon loup, mon petit singe, grand singe, grand serpent, mon petit âne mélancolique. De pareils caprices de langue, trop répétés, de trop fréquentes appellations bestiales témoignent dun côté satanique dans lamour; les satans nontils pas des formes de bêtes? Le chameau de Cazotte, chameau, Diable et femme. Un homme va au tir au pistolet, accompagné de sa femme. Il ajuste une poupée, et dit à sa femme: Je me figure que cest toi. Il ferme les yeux et abat la poupée. Puis il dit en baisant la main de sa compagne: Cher ange, que je te remercie de mon adresse! Quand jaurai inspiré le dégoût et lhorreur universels, jaurai conquis la solitude. Ce livre nest pas fait pour mes femmes, mes filles et mes soeurs. Jai peu de ces choses. Il y a des peaux carapaces avec lesquelles le mépris nest plus un plaisir. Beaucoup damis, beaucoup de gants, de peur de la gale. Ceux qui mont aimé étaient des gens méprisés, je dirais même méprisables, si je tenais à flatter les honnêtes gens. Dieu est un scandale, un scandale qui rapporte.

XII

Ne méprisez la sensibilité de personne. La sensibilité de chacun, cest son génie. Il ny a que deux endroits où lon paye pour avoir le droit de dépenser, les latrines publiques et les femmes. Par un concubinage ardent, on peut deviner les jouissances dun jeune ménage. Le goût précoce des femmes. Je confondais lodeur de la fourrure avec lodeur de la femme. Je me souviens... Enfin, jaimais ma mère pour son élégance. Jétais donc un dandy précoce. Mes ancêtres, idiots ou maniaques, dans des appartements solennels, tous victimes de terribles passions. Les pays protestants manquent de deux éléments indispensables au bonheur dun homme bien élevé, la galanterie et la dévotion. Le mélange du grotesque et du tragique est agréable à lesprit comme la discordance aux oreilles blasées. Ce quil y a denivrant dans le mauvais goût, cest le plaisir aristocratique de déplaire. LAllemagne exprime la rêverie par la ligne, comme lAngleterre par la perspective. Il y a dans lengendrement de toute pensée sublime une secousse nerveuse qui se fait sentir dans le cervelet. LEspagne met dans la religion la férocité naturelle de lamour.

STYLE.
La note éternelle, le style éternel et cosmopolite. Chateaubriand,
Alph. Rabbe, Edgar Poe.

XIII

SUGGESTIONS Pourquoi les démocrates naiment pas les chats, il est facile de le deviner. Le chat est beau; il révèle des idées de luxe, de propreté, de volupté, etc...

Un peu de travail, répété trois cent soixantecinq fois, donne trois cent soixantecinq fois un peu dargent, cestàdire une somme énorme. En même temps, la gloire est faite.

De même, une foule de petites jouissances composent le bonheur.

Créer un poncif, cest le génie.
Je dois créer un poncif.
Le concetto est un chefdoeuvre.

Le ton Alphonse Rabbe.
Le ton fille entretenue (Ma toutebelle! Sexe volage!).
Le ton éternel.
Coloriage, cru, dessin profondément entaillé.
La prima Donna et le garçon boucher.
Ma mère est fantastique; il faut la craindre et lui plaire.

Lorgueilleux Hildebrand.
Césarisme de Napoléon III. (Lettre à Edgar Ney). Pape et Empereur.

XIV

SUGGESTIONS.
Se livrer à Satan, questce que cest?
Quoi de plus absurde que le Progrès, puisque lhomme, comme cela est prouvé par le fait journalier, est toujours semblable et égal à lhomme, cestàdire toujours à létat sauvage. Questce que les périls de la forêt et de la prairie auprès des chocs et des conflits quotidiens de la civilisation? Que lhomme enlace sa dupe sur le Boulevard, ou perce sa proie dans des forêts inconnues, nestil pas lhomme éternel, cestàdire lanimal de proie le plus parfait? On dit que jai trente ans; mais si jai vécu trois minutes en une... naije pas quatrevingtdix ans? ... Le travail, nestce pas le sel qui conserve les âmes momies? Début dun roman, commencer un sujet nimporte où et, pour avoir envie de le finir, débuter par de très belles phrases.

XV

Je crois que le charme infini et mystérieux qui gît dans la contemplation dun navire en mouvement, tient, dans le premier cas, à la régularité et à la symétrie qui sont un des besoins primordiaux de lesprit humain, au même degré que la complication et lharmonie, et, dans le second cas, à la multiplication et à la génération de toutes les courbes et figures imaginaires opérées dans lespace par les éléments réels de lobjet. Lidée poétique qui se dégage de cette opération du mouvement dans les lignes est lhypothèse dun être vaste, immense, compliqué, mais eurythmique, dun animal plein de génie, souffrant et soupirant tous les soupirs et toutes les ambitions humaines.

Peuples civilisés, qui parlez toujours sottement de sauvages et de barbares, bientôt, comme le dit dAurevilly, vous ne vaudrez même plus assez pour être idolâtres.

Le stoïcisme, religion qui na quun sacrement, le suicide!

Concevoir un canevas pour une bouffonnerie lyrique ou féerique, pour une pantomime, et traduire cela en un roman sérieux. Noyer le tout dans une atmosphère anormale et songeuse, dans latmosphère des grands jours. Que ce soit quelque chose de berçant, et même de serein dans la passion. Régions de la Poésie pure.

Ému au contact de ces voluptés qui ressemblaient à des souvenirs, attendri par la pensée dun passé mal rempli, de tant de fautes, de tant de querelles, de tant de choses à se cacher réciproquement, il se mit à pleurer; et ses larmes chaudes coulèrent dans les ténèbres sur lépaule nue de sa chère et toujours attirante maîtresse. Elle tressaillit; elle se sentit, elle aussi, attendrie et remuée. Les ténèbres rassuraient sa vanité et son dandysme de femme froide. Ces deux êtres déchus, mais souffrant encore de leur reste de noblesse, senlacèrent spontanément, confondant dans la pluie de leurs larmes et de leurs baisers les tristesses de leur passé avec leurs espérances bien incertaines davenir. Il est présumable que jamais pour eux la volupté ne fut si douce que dans cette nuit de mélancolie et de charité; volupté saturée de douleur et de remords. A travers la noirceur de la nuit, il avait regardé derrière lui dans les années profondes, puis il sétait jeté dans les bras de sa coupable amie pour y retrouver le pardon quil lui accordait. Hugo pense souvent à Prométhée. Il sapplique un vautour imaginaire sur une poitrine qui nest lancinée que par les moxas de la vanité. Puis lhallucination se compliquant, se variant, mais suivant la marche progressive décrite par les médecins, il croit que par un fiat de la Providence, SainteHélène a pris la place de Jersey.

Cet homme est si peu élégiaque, si peu éthéré, quil ferait horreur même à un notaire.

HugoSacerdoce a toujours le front penché; trop penché pour rien voir, excepté son nombril.

Questce qui nest pas un sacerdoce aujourdhui? La jeunesse ellemême est un sacerdoce, à ce que dit la jeunesse.

Et questce qui nest pas une prière? Chier est une prière, à ce que disent les démocrates quand ils chient.

M. de Pontmartin, un homme qui a toujours lair darriver de sa province...

Lhomme, cestàdire chacun, est si naturellement dépravé quil souffre moins de labaissement universel que de létablissement dune hiérarchie raisonnable.

Le monde va finir. La seule raison pour laquelle il pourrait durer, cest quil existe. Que cette raison est faible, comparée à toutes celles qui annoncent le contraire, particulièrement à celleci: questce que le monde a désormais à faire sous le ciel? Car, en supposant quil continuât à exister matériellement, seraitce une existence digne de ce nom et du dictionnaire historique? Je ne dis pas que le monde sera réduit aux expédients et au désordre, bouffon des républiques du SudAmérique, que peutêtre même nous retournerons à létat sauvage, et que nous irons, à travers les ruines herbues de notre civilisation, chercher notre pâture, un fusil à la main. Non; car ce sort et ces aventures supposeraient encore une certaine énergie vitale, écho des premiers âges. Nouvel exemple et nouvelles victimes des inexorables lois morales, nous périrons par où nous avons cru vivre. La mécanique nous aura tellement américanisés, le progrès aura si bien atrophié en nous toute la partie spirituelle, que rien parmi les rêveries sanguinaires, sacrilèges, ou anti naturelles des utopistes ne pourra être comparé à ses résultats positifs. Je demande à tout homme qui pense de me montrer ce qui subsiste de la vie. De la religion, je crois inutile den parler et den chercher les restes, puisque se donner encore la peine de nier Dieu est le seul scandale en pareilles matières. La propriété avait disparu virtuellement avec la suppression du droit daînesse; mais le temps viendra où lhumanité, comme un ogre vengeur, arrachera leur dernier morceau à ceux qui croiront avoir hérité légitimement des révolutions. Encore, là ne serait pas le mal suprême. Limagination humaine peut concevoir sans trop de peine, des républiques ou autres états communautaires, dignes de quelque gloire, sils sont dirigés par des hommes sacrés, par de certains aristocrates. Mais ce nest pas particulièrement par des institutions politiques que se manifestera la ruine universelle, ou le progrès universel; car peu mimporte le nom. Ce sera par lavilissement des coeurs. Aije besoin de dire que le peu qui restera de politique se débattra péniblement dans les étreintes de lanimalité générale, et que les gouvernants seront forcés, pour se maintenir et pour créer un fantôme dordre, de recourir à des moyens qui feraient frissonner notre humanité actuelle, pourtant si endurcie? Alors, le fils fuira la famille, non pas à dix huit ans, mais à douze, émancipé par sa précocité gloutonne; il la fuira, non pas pour chercher des aventures héroïques, non pas pour délivrer une beauté prisonnière dans une tour, non pas pour immortaliser un galetas par de sublimes pensées, mais pour fonder un commerce, pour senrichir, et pour faire concurrence à son infâme papa, fondateur et actionnaire dun journal qui répandra les lumières et qui ferait considérer le Siècle dalors comme un suppôt de la superstition. Alors, les errantes, les déclassées, celles qui ont eu quelques amants, et quon appelle parfois des Anges, en raison et en remerciement de létourderie qui brille, lumière de hasard, dans leur existence logique comme le mal, alors celleslà, disje, ne seront plus quimpitoyable sagesse, sagesse qui condamnera tout, fors largent, tout, même les erreurs des sens! .... Alors, ce qui ressemblera à la vertu, que disje, tout ce qui ne sera pas lardeur vers Plutus sera réputé un immense ridicule. La justice, si, à cette époque fortunée, il peut encore exister une justice, fera interdire les citoyens qui ne sauront pas faire fortune. Ton épouse, ô Bourgeois! ta chaste moitié dont la légitimité fait pour toi la poésie, introduisant désormais dans la légalité une infamie irréprochable, gardienne vigilante et amoureuse de ton coffre fort, ne sera plus que lidéal parfait de la femme entretenue. Ta fille, avec une nubilité enfantine, rêvera dans son berceau, quelle se vend un million. Et toimême, ô Bourgeois, moins poète encore que tu nes aujourdhui, tu ny trouveras rien à redire; tu ne regretteras rien. Car il y a des choses dans lhomme, qui se fortifient et prospèrent à mesure que dautres se délicatisent et samoindrissent, et, grâce au progrès de ces temps, il ne te restera de tes entrailles que des viscères! Quant à moi qui sens quelquefois en moi le ridicule dun prophète, je sais que je ny trouverai jamais la charité dun médecin. Perdu dans ce vilain monde, coudoyé par les foules, je suis comme un homme lassé dont loeil ne voit en arrière, dans les années profondes, que désabusement et amertume, et devant lui quun orage où rien de neuf nest contenu, ni enseignement, ni douleur. Le soir où cet homme a volé à la destinée quelques heures de plaisir, bercé dans sa digestion, oublieux autant que possible du passé, content du présent et résigné à lavenir, enivré de son sangfroid et de son dandysme, fier de nêtre pas aussi bas que ceux qui passent, il se dit en contemplant la fumée de son cigare: Que mimporte où vont ces consciences? Je crois que jai dérivé dans ce que les gens du métier appellent un horsdoeuvre. Cependant, je laisserai ces pages, parce que je veux dater ma colère. Tristesse.

Milton Keynes UK
Ingram Content Group UK Ltd.
UKHW031817210923
429112UK00009B/382